Les 5 sens

Le pirate

Le lit

e parc

Noël

La forêt

Le nain et le géant

Le lion

Le magasin

Le chat

L'avion

Le camping

Le manège

Le poney

La piscine

Ce livre appartient à

_____

_____

Comité de direction :
Bernard Canetti (directeur de la publication),
Gérard Worms (conseiller à la rédaction),
Marie-Françoise Kerhuel (conseiller à la rédaction).

Direction de collection : Bernadette Costa-Prades
Auteur : Gilles Laurendon
Conception et réalisation : Opixido
Illustrations : Hervé le Goff
Réalisation sonore et enregistrement : Tigrune Music

© EDITIONS ATLAS 2003, 1186 rue de Cocherel, 27000 Evreux.
SAS au capital de 15 000 000 €. RCS EVREUX B 693 650 137

Imprimé en UE
Dépôt légal : Septembre 2004
ISBN 2-7312-2925-X

Avec la participation de Marlène Jobert

BIENTÔT, JE LIS
avec **Marlène Jobert**

Le loup qui mangeait les histoires

fourmi

chouette

Un jour, dans la clairière de la forêt,
les animaux voient un grand loup arriver.
Il est maigre, il a les yeux jaunes.
Il a l'air très fatigué. Il avance en s'aidant
d'une canne. Toc ! Toc ! Toc !

- C'est qui ce vieux loup ? demande la timide fourmi.
- Tu ne le connais pas ?
C'est Yétu, le Loup Yétu, répond la vieille chouette
en levant au ciel ses yeux ronds. Mais, voyons,
c'est le plus grand conteur de la forêt.
Il connaît plein d'histoires :
celle du Petit Chaperon rouge,
celle du Petit Poucet...
et des histoires qui font encore plus peur.

6

BIENTÔT, JE LIS
avec **Marlène Jobert**

Le loup qui mangeait les histoires

fourmi

chouette

Un jour, dans la clairière de la forêt,
les animaux voient un grand loup arriver.
Il est maigre, il a les yeux jaunes.
Il a l'air très fatigué. Il avance en s'aidant
d'une canne. Toc ! Toc ! Toc !

- C'est qui ce vieux loup ? demande la timide fourmi.
- Tu ne le connais pas ?
C'est Yétu, le Loup Yétu, répond la vieille chouette
en levant au ciel ses yeux ronds. Mais, voyons,
c'est le plus grand conteur de la forêt.
Il connaît plein d'histoires :
celle du Petit Chaperon rouge,
celle du Petit Poucet...
et des histoires qui font encore plus peur.

6

8

Loup Yétu se racle la gorge,

- Hum, hum, hum ! Je vais vous raconter
une histoire. C'est l'histoire d'une biche
qui rêve de devenir cosmonaute...
Vous ne la connaissez pas, j'espère ?
- Non, non, on ne la connaît pas du tout,
crient les petits lapins en tapant de la patte.

lapin

biche

Tap, tap, tap ! Vas-y, vas-y !

- Alors, voilà. Un jour, la jeune biche construit une fusée.
Mais une vraie fusée, avec un moteur pour avancer
et un hublot pour regarder la Lune et les étoiles.
Oh, elle était très savante
cette petite biche, gracieuse,
et tellement, tellement...

9

écureuil

hérisson

Soudain Loup Yétu s'arrête.
Il se passe la langue sur les babines.
- **Alors ?** La suite,
dit le jeune écureuil tout roux.
- Heu… La suite, mais quelle suite ?
demande Loup Yétu en se grattant la tête.
- Eh bien, la suite de ton histoire !
Tu nous parlais de la biche qui rêvait de devenir
cosmonaute, répond l'écureuil.

Loup Yétu devient alors tout rouge
et baisse les yeux.
- Zut… Je l'ai mangée !

10

- **Mangée !** s'exclame le hérisson en sursautant.
Mais comment peux-tu raconter une histoire
si tu manges le personnage ?

pic-vert

- Je ne l'ai pas fait exprès, dit Loup Yétu,
très honteux. Depuis quelque temps,
je ne sais pas ce que j'ai. C'est plus fort que moi,
je ne peux pas m'en empêcher.
Si vous voulez, je vais vous raconter une histoire
qui fait rire, pour changer, hein ? l'histoire
de la belette qui rouspète, hein ?
ou l'histoire du pic-vert qui fait pipi en l'air...
hein ?

« Ce loup, c'est le plus grand menteur
de la forêt », pensent les animaux.
Et ils lui jettent des glands
sur le museau.

12

Bing ! Bong ! Aïe ! Ouille ! Splash !

13

chêne

Un autre jour, sous le grand chêne,
les animaux voient arriver un mouton,
un gros mouton tout rond. Il a l'air vieux.
Il avance en s'aidant d'un bâton.
Tic ! Tic ! Tic !

- On m'a dit que vous aimiez les histoires ?
bêle le mouton.
- Oh oui, alors ! crient ensemble
les animaux de la forêt.

- Alors voilà : c'est l'histoire d'une oie sauvage
qui rêve de faire le tour du monde.
Elle est tellement belle cette petite oie sauvage,
vous savez... Elle est petite, mais bien dodue
et bien grassouillette... Bien...

Et, tout à coup, le gros mouton tout rond se tait.
Il se passe la langue sur les babines.

- Alors, et la suite ? demande un grand cerf

en agitant avec impatience sa ramure.

- La suite, mais quelle suite ? dit le mouton

en se grattant la tête.

Le mouton devient tout rouge et baisse les yeux.

- C'est Loup Yétu, je l'ai reconnu !

crie le blaireau. Oh, le sale tricheur,

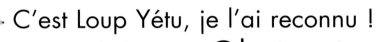

il s'est déguisé en mouton.

Les animaux sont furieux :

Oh ! Oh ! Oh ! Oh ! Oh !

- Y'en a marre ! Incapable de raconter

une histoire jusqu'au bout ! dit la chouette

- Une histoire sans personnages,

ce n'est plus une histoire,

grogne le blaireau.

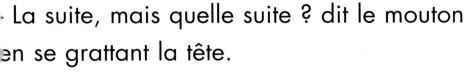

sanglier

Loup Yétu est vraiment désolé, mais c'est
plus fort que lui, il ne peut pas s'en empêcher !
- Bon, eh bien, tu n'as qu'à nous raconter
une histoire qui ne se mange pas !
dit le rusé renard.
- Oui, l'histoire d'un objet, un aspirateur
par exemple, ou une cravate,
propose le sanglier.

Loup Yétu fait une grimace de dégoût :
- Une histoire de cravate, beurk ! quelle horreur !
Et pourquoi pas une histoire de poubelle
pendant que vous y êtes ! Pff !
Bon, puisque vous y tenez,
je vais vous raconter
l'histoire d'une voiture.

18

19

- Chic, chic, chic ! dit le lièvre en sautillant,
une histoire de voiture, j'adore ça !
- Alors, voilà, dit Loup Yétu, c'est une voiture
qui roule à plus de 300 km/heure.

Vroum ! Vroum ! Vroum !

Une super voiture de course avec plein de...
Plein de ... Plein ...
Loup Yétu se passe la langue sur les babines.
Puis il se tait.

lièvre

loup

- **Ah non,** tu n'as pas aussi mangé la voiture ?
grogne le sanglier.

Le loup devient tout rouge et baisse les yeux.

- Heu, non... Non ! Je n'ai pas mangé la voiture. Mais....

- **Mais ?**

- **Mais** il restait des tranches de jambon dans le coffre !

- **Oh ! Oh ! Oh ! Oh !**

Fous de rage, les animaux chassent Loup Yétu.

- Allez, va-t-en, va-t-en,
on ne veut plus de toi ici...

- Oui, ça suffit, ça **suffit !**

21

gland

Mais, un jour, un cirque arrive dans la forêt.
C'est le plus grand cirque du monde.
Il y a même la télévision pour filmer le spectacle
et des affiches géantes.

Avis à la population :
Le célèbre Loup Yétu
Le plus grand mangeur d'histoires
Sera ce soir au Cirque Parade
Pour manger en direct des histoires
qui font peur.
Entrée payante. Quatre glands.

- **Mais,** on le connaît, c'est notre ami le loup.
C'est Loup yétu !
s'exclament les animaux, soudain très fiers.

Loup Yétu s'avance vers eux pour les saluer.
Il a une canne en or. Il a beaucoup grossi… Pas étonnant
avec toutes ces histoires qu'il avale chaque soir.

ÉCOUTE ET JOUE

Un intrus dans la forêt

Parmi tous ces animaux,
lequel n'habite pas dans la forêt ?

Réponse : la girafe.

2 Dans le bon ordre !

plage 13

Prends dans ton imagier les images de la chouette,
de l'écureuil et du lapin.
Mets-les dans l'ordre de leur apparition dans l'histoire.

Lapin

Le lapin creuse son terrier.

Chouette

La chouette dort le jour

Écureuil

L'écureuil mange
des noisettes

Réponse :
la chouette,
le lapin,
l'écureuil.

3 1, 2, 3, dans les bois !

plage 14

Le loup raconte trois histoires.

Quel est le personnage de la première histoire
racontée par le loup ?

Quel est le personnage
de la deuxième histoire ?

Quel est le personnage
de la troisième histoire ?

Réponse : la biche, l'oie, la voiture.

25

4
Plage 15

Loup, combien de fois y es-tu ?

Regarde bien les wagons : combien de fois
vois-tu écrit le mot LOUP ?

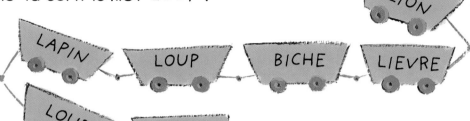

Réponse : deux fois.

5
Plage 16

Des questions pour
les petits champions

Je vais te poser deux questions.
Tu vas voir, c'est facile.

● Sais-tu quel est le métier du loup ?

Réponse : Il est conteur.

● Où travaille le loup maintenant
qu'il a été chassé de la forêt ?

Réponse : Dans un cirque.

Affiches presque jumelles

Compare les deux affiches du livre et trouve les deux mots qui ont changé entre la première et la deuxième.

Le plus grand
mangeur d'histoires
sera ce soir
au cirque Parade
Pour manger en direct
Des histoires
qui font peur
Entrée payante.
Quatre glands.

Le plus grand
mangeur d'histoires
sera ce soir
au cirque Parade
Pour manger en direct
Des histoires
qui font rire.
Entrée payante.
Trois glands.

Réponse : **rire** à la place de **peur**, **trois** glands à la place de **quatre**.

ÉCOUTE ET JOUE

7 — Plage 18

Mon petit nom !

Comment s'appelle le petit de la biche ?

Comment s'appelle le petit du renard ?

Attention, c'est plus dur :
comment s'appelle le petit du sanglier ?

Réponse : Le faon, le renardeau, le marcassin.

8 — Plage 19

Qu'est-ce qu'on dit ?

Écoute bien. On dit

• «Le grand loup se lèche les babines» ou «le grand loup se lèche les narines» ?
• Le loup fait une grimace «de dégoût» ou le loup fait une grimace «de ragoût» ?

Réponse : Le grand loup se lèche les babines. Le loup fait une grimace de dégoût.

A — Joue avec tes cartes mots

Trouve toutes les cartes des mots qui commencent par la lettre L Combien en comptes-tu ?

Cherche les deux oiseaux parmi tes cartes.

Regarde bien tes cartes : quel est le mot qui se termine par les quatre lettres «ette» ?

Réponses : 3 (le loup, le lapin, le lièvre) - Le pic-vert, la chouette - La chouette.

28

COMPTINE

Dans la Grande Clairière
Á la tombée de la nuit
Sous le chêne ils sont tous réunis
Pour écouter le loup gourmand
Il suffit de donner quelques glands

Le lapin fait des galipettes
La chouette en perd ses lunettes
L'écureuil jongle avec des noisettes
Le cerf chante à tue-tête

Le hérisson se roule en boule
Monsieur Blaireau danse sur le dos
Le sanglier salue la foule
Le lièvre crie bravo
Le renard tire son chapeau

•

Connaissez-vous ? Connaissez-vous ?
L'histoire du pic-vert qui fait pipi en l'air ?
Et celle de la belette qui rouspète

Ah, ce Loup, quel génie !
Et toute la forêt applaudit...

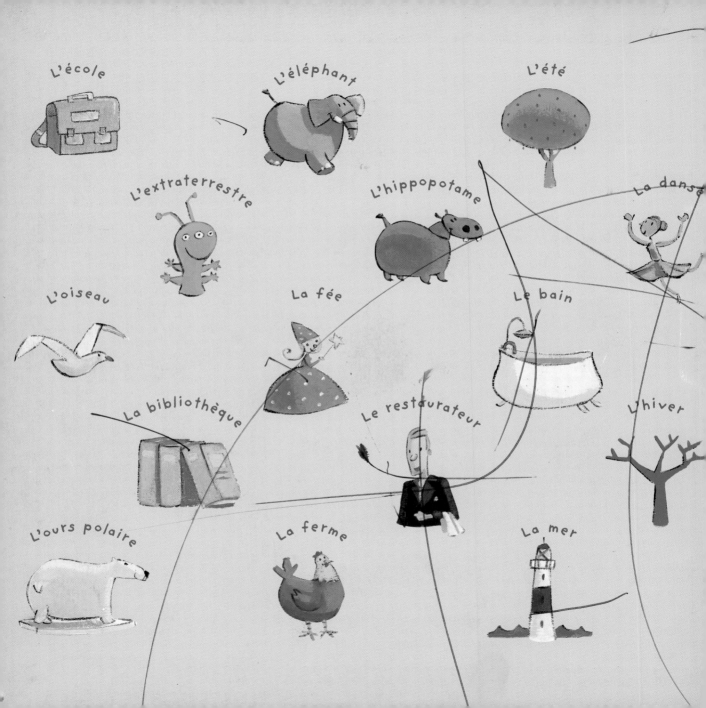

L'école

L'éléphant

L'été

L'extraterrestre

L'hippopotame

La danse

L'oiseau

La fée

Le bain

L'hiver

La bibliothèque

Le restaurateur

L'ours polaire

La ferme

La mer